hud a lledrith
LLŶN
a magical place

hud a lledrith
Llŷn
a magical place

photography by
MARTIN TURTLE, ABERSOCH

Argraffiad cyntaf: 2009

Rhif Llyfr Safonol Rhyngwladol:
978-1-84527-230-2

Cynllun clawr: Sion Ilar

Mae'r cyhoeddwyr yn cydnabod cefnogaeth ariannol
Cyngor Llyfrau Cymru

Argraffwyd a rhwymwyd gan Wasg Gomer, Llandysul.
Cyhoeddwyd gan Wasg Carreg Gwalch,
12 Iard yr Orsaf, Llanrwst, Dyffryn Conwy LL26 0EH.
Ffôn: 01492 642031
Ffacs: 01492 641502
e-bost: llyfrau@carreg-gwalch.com
lle ar y we: www.carreg-gwalch.com

DIOLCH O GALON I:

Dymuna'r awdur a'r cyhoeddwyr ddiolch am bob cydweithrediad
gan y beirdd Gareth Williams, Huw Erith a Meirion McIntyre Huws
wrth addasu a chyhoeddi'u gwaith, ac i Susan Walton am y
trosiadau Saesneg.

ACKNOWLEDGEMENTS:

The author and publishers wish to acknowledge the co-operation of
poets Gareth Williams, Huw Erith, Meirion McIntyre Huws and the
work of Susan Walton on English translations

Cynnwys

Contents

Cyflwyniad

Mae pawb wrthi erbyn hyn. Gyda'r teganau chwyldroadol diweddaraf, mi allwn i gyd gofnodi'r hyn a wêl y llygad ar ffôn neu gyfrifiadur neu gamera digidol. Aeth ffotograffiaeth yn arfer torfol, fel gyrru car neu wneud brechdan.

Nid yr un llygad sydd gan bawb, er hynny, ac nid pob un sy'n mynd i'r drafferth i ddysgu'r manylion bach hynny sy'n didol y gwir grefftwr oddi wrth weddill y dyrfa. Nid yw pawb yn teimlo'n ddigon angerddol dros ei destun i godi yn oriau mân y bore i ddal aur cyntaf y wawr nag i aros ar y traeth am geirios olaf y machlud. Nid pob un ohonom aiff at y creigiau yn rhyferthwy'r storm na chario'r offer gwerthfawr allan i ddannedd gwynt y gaeaf. Mae'r casgliad hwn o luniau yn dangos bod Martin Turtle yn un o'r eneidiau prin hynny sydd wedi dysgu'i grefft ac yn ei defnyddio i gyflwyno lluniau na all y rhan fwyaf ohonom freuddwydio amdanynt, heb sôn am eu gweld â'n llygaid ein hunain.

Wrth edrych ar ei gasgliad yn ei weithdy yn Abersoch, 'fedrwn i ddim llai na chlywed ambell linell o farddoniaeth yn troi yn fy mhen. Bydd rhai ohonoch yn gyfarwydd â llawer o'r dyfyniadau hyn; bydd eraill – drwy gyfrwng addasiadau gofalus Susan Walton – yn dod ar draws mydryddiaeth Gymraeg am y tro cyntaf. Mae natur, y tywydd a'r tymhorau yn ddelweddau cryf yn ein traddodiad barddol ac yn mynegi y tymer a'r profiad dynol yn aml. Felly hefyd ffotograffau Martin Turtle.

Dathliad o oleuni a lliwiau Llŷn sydd yn y gyfrol hon. Wedi ymgartrefu yn y cilcyn hwn o ddaear, cyfrannodd y ffotograffydd at gyfoeth y diwylliant a'r gwareiddiad sydd yma yn ei ffordd unigryw ei hun.

Myrddin ap Dafydd

Introduction

Everyone's at it these days. With today's revolutionary gadgets we can all capture what the eye sees with our phone or computer or digital camera. Photography is commonplace, like driving a car or making a sandwich.

Not everyone has the same eye, however, and few of us go to the trouble of learning intricacies that mark the true craftsman out from the crowd. Not everyone feels strongly enough about their discipline to get up in the small hours to catch the first golden rays of dawn or to stay on the beach for the last rosy glow of sunset. Not everyone goes out onto rocks in a tempest or carries valuable equipment into the teeth of winter gales. This collection of images shows that Martin Turtle is one of those rare souls who has learnt his craft and uses it to present images that most of us would never dream of, let alone see with our own eyes.

As I looked at his collection in his Abersoch studio, I couldn't help but hear certain lines of poetry running through my head. Some of you will be very familiar with these extracts; others - by way of Susan Walton's sensitive adaptations into English – will be discovering Welsh verse for the first time. Nature, the weather and the seasons feature strongly in the Welsh poetic tradition and are used to express human emotion and experience. So too with Martin Turtle's photographs.

This book presents a celebration of the light and colour of Llŷn. Having made himself at home in this corner of the planet, the photographer has contributed to the area's cultural richness and community in his own distinctive way.

Myrddin ap Dafydd

Tynnu lluniau yn Llŷn

Camera Rwsaidd 'Zenith E' oedd yr un cyntaf i mi gael fy nwylo arno – un ail-law am £19. Roedd hynny dros wythnos o gyflog a minnau yn fy arddegau ar y pryd, ond mi gefais fy machu ganddo. Roedd dylanwad fy nhad yn gryf yn hynny o beth. Ers yn bwtyn, roeddwn i'n mwynhau sioeau lluniau Dad pan lenwai waliau'r gegin fyw gyda golau'r taflunydd, a ninnau'n eistedd yn y tywyllwch gan biffian chwerthin bob tro y byddai llun tu chwith ymlaen neu â'i ben i waered. Roeddem fel teulu yn dotio at y sioeau sleidiau hynny a gwyddwn y byddwn innau'n tynnu lluniau rhyw ddydd.

Ysgol brofiad oedd y camera cyntaf hwnnw. Bob penwythnos mi awn am antur gyda'r camera a chydig o rôls o Kodachrome. Postio'r ffilmiau i'w datblygu fore Llun a disgwyl yn eiddgar am y printiadau. Siomedig oedd y canlyniadau yn aml, ond roedd yr anfodlonrwydd hwnnw yn rhan bwysig o'r addysg, a gydag amser deuwn yn fwy profiadol ac yn llai siomedig.

Er hynny, ar ôl symud i fyw i Lŷn y dechreuais gymryd ffotograffiaeth o ddifri. Cefais fy nal gan harddwch yr ardal a thymer fythol-gyfnewidiol y môr a'r glannau. Bûm yn eithriadol o ffodus o gael cefnogaeth a chymorth gan fy mhartner a'm ffrindiau i droi fy mhleser yn ffon fara.

Erbyn hyn, mae gennyf ddau o blant fy hunan sy'n cael eu symbylu i fod yn greadigol. Rwy'n hapus dros ben eu bod yn ddigon lwcus o fod yn byw mewn lle mor ysbrydoledig.

Mae'r gyfrol hon yn cynnwys detholiad o fy lluniau i gyfeiliant hen benillion a detholiadau o farddoniaeth wedi'u dethol, ac wedi'u cyfansoddi'n rhannol, gan Myrddin ap Dafydd. Diolch iddo am ei help llaw a'i ysbrydoliaeth. Rwy'n falch iawn o'r casgliad – gobeithio y cewch chi gymaint o bleser wrth edrych arnyn nhw ag a gefais i wrth eu tynnu.

Photographing Llŷn

The first camera I ever owned was a simple Russian 'Zenith E' which I bought second hand for £19. I was in my teens and that was more than a week's wages, but I had the bug. This was due, mainly, to my father's influence. From an early age I had seen Dad's pictures filling the living room wall with light from the projector as we sat in the dark giggling when a slide was accidentally loaded the wrong way up or back to front. As a family we loved those slide shows and I knew then that one day I wanted to take pictures of my own.

What a great learning tool that first camera was. Come the weekend I would venture out into the country with my trusty camera and a couple of rolls of Kodachrome. By Monday morning I would have posted the rolls off for processing and for the rest of the week I would eagerly await their return. I was usually disappointed by the results but this was an essential part of the learning and as time went on my disappointments grew less as my experience grew more.

However, it was not until I moved to Llŷn that my photography became really serious. I instantly became captured by the beauty of the area and the ever-changing moods of the sea and the coast. I was very fortunate that my partner and friends gave me the encouragement and help to make a business out of my hobby.

Now, many years later, I have two children of my own who are in turn motivated to be creative. I am so pleased that they are lucky enough to live in such an inspiring place.

This book has a selection of my pictures and is accompanied by verse, both old, and new-collected and, in part, written by Myrddin ap Dafydd. I am very grateful to Myrddin for his great help and inspiration in compiling this book. The final result is something I am very proud of and I hope that you will enjoy looking at the photos as much as I have enjoyed taking them.

EDRYCH I LAWR AR LŶN

LOOKING DOWN ON LLŶN

TRAETH LLEFERIN, PENRHYN DU AC YNYSOEDD TUDWAL : ABERSOCH GOLF COURSE, PENRHYN DU AND ISLANDS

Draw acw ar bob drycin,
gaeafaidd neu hafaidd hin,
boed niwlog, boed yn heulwen,
boed lliw dydd, boed lleuad wen,
boed llyfn ddŵr, boed arw'r don,
gwyliaf tra curo'r galon,
Can's dyna'r fan mae arfor
Llŷn yn ymestyn i'r môr.
'Llŷn o Benparcau', J. Glyn Davies

Towards that place in every storm,
in wintry or in summer climes,
whether fog, whether sunshine,
whether daylight, whether bright moonlight,
whether millpond, whether a mill race,
I see with a beating heart,
As that's the place the coast
Of Llŷn plunges to the sea.
'Llŷn from Penparcau', J. Glyn Davies

CAEAU AMRYLIW YN ARDAL ABERSOCH A MYNYTHO : FARMLAND AROUND ABERSOCH AND MYNYTHO

Ffarwél fo i dref Porthmadog,
Ffarwél i far Traeth Mawr,
Ffarwél fo i Gastell Harlech,
Sydd bron â dod i lawr.
Trafaeliais y byd, ei hyd a'i led,
A thrwodd a thros y môr;
Bydd glaswellt ar fy llwybrau i
Cyn delwyf i Gymru'n ôl.

Cyn delwyf i Gymru'n ôl, fy ffrinds,
Cyn delwyf i Gymru'n ôl,
Bydd glaswellt ar fy llwybrau i
Cyn delwyf i Gymru'n ôl.
'Cân Ffarwél', Traddodiadol

Farewell to dear Porthmadog town,
Farewell to Traeth Mawr bar,
Farewell to Harlech's citadel,
That's almost falling down.
I travelled the world, its length and breadth,
And over and through the seas;
There'll be grass along my pathways
Before Wales once more I'll see.

Before Wales once more I'll see, my friends,
Before Wales once more I'll see,
There'll be grass along my pathways
Before Wales once more I'll see.
'Farewell Song', Traditional

PORTH CEIRIAD AC YNYSOEDD TUDWAL : PORTH CEIRIAD AND ST TUDWAL'S ISLANDS

Nid lle ond hanfod yw Llŷn.
Mae hualau'r Maen Melyn
Yn fy ngwaed, ac yn fy nghof.
Mae hwn yn gwlwm ynof
Sy'n mynnu tynnu fel ton,
Galwad yn nwfn y galon.
'Penrhyn Llŷn', Gareth Williams

Not place but essence is Llŷn.
The tethers of Maen Melyn
In my blood, and in my memory.
Its mooring is spliced to my soul
And pulls like an insistent wave,
Calling deep inside my heart.
'Llŷn Peninsula', Gareth Williams

Tros y môr y mae fy nghalon,
Tros y môr y mae f'ochneidion;
Tros y môr y mae f'anwylyd,
Sy'n fy meddwl i bob munud.

Hen bennill

Over the sea there is my heart,
Over the sea is my sigh;
Over the sea is my dear one,
Who is forever in my thoughts.

Old verse

**PEN CEI, ABERSOCH A
THRAETH CASTELLMARCH
ABERSOCH OUTER HARBOUR AND
WARREN LEADING TO TRWYN
LLANBEDROG**

EHANGDER TRAETH PORTH NEIGWL : A MULTITUDE OF DIFFERENT PEBBLES ON HELL'S MOUTH BEACH

Llawn yw'r môr o swnd a chregyn,
Llawn yw'r wy o wyn a melyn,
Llawn yw'r coed o ddail a blodau,
Llawn o gariad merch wyf innau.
                    Hen bennill

Full is the sea of sand and shells,
Full is the egg of yolk and white,
Full is the wood of leaves and blooms,
Full am I of love for my girl.
                    Old verse

ENLLI O FYNYDD ANELOG : BARDSEY FROM ANELOG

Dringo tan ganu rhyw bwt o gân
Lle mae'r grug yn tyfu trwy'r eithin mân

Rhwng banciau o borffor ac aur yn stôr;
Ac yn sydyn oddi tanom dim ond môr,

Môr a môr at y gorwel a'i hud,
A ninnau wedi cyrraedd pen draw'r byd.
'Pen draw'r byd', Cynan

Climbing while singing some snatch of song
To a heathery place with sparse gorse

Between banks of purple and precious gold;
And suddenly we'd nothing but the ocean,

Sea on sea pulling to the horizon,
And we'd arrived at the end of the world.
'The end of the world', Cynan

– mae'n heulog
heno ar riniog yr hen benrhynnau.

'Pen draw'r tir', Myrddin ap Dafydd

– it's sunny
tonight on the threshold of the old headlands.

'The end of the land', Myrddin ap Dafydd

CUSAN Y TYWOD A'R GRAIG, PORTH CEIRIAD
'THE KISS', PORTH CEIRIAD

PORTH CYCHOD, TUDWEILIOG

Tir llus, cwmwl gwyn, tŵr llan:
daw'r wlad a'r awyr lydan
ar groen o fôr i grynu.

    'Moryd Dwyryd', Myrddin ap Dafydd

Whin country, white cloud, church tower:
the land and wide sky reflect
on the sea's wrinkling skin.

    'Dwyryd Estuary', Myrddin ap Dafydd

HEN LINELL BELL Y GORWEL

WIDE HORIZONS

PORTHOER : WHISTLING SANDS

Pen trwyn, pen y traeth,
pen tir ein hiraeth,
lle mae meudwyaeth, lle mae duwiau.

       'Pen draw'r tir', Myrddin ap Dafydd

Headland end, beach end,
the end of the land of our longing,
where there is solitude, where there are gods.

       'The end of the land', Myrddin ap Dafydd

GOLAU'R HWYR, PEN CEI, ABERSOCH: EVENING SUN, ABERSOCH OUTER HARBOUR

Pan own i'n rhodio glan môr heli,
Gwelwn wylan o liw'r lili
Ar y traeth yn gwasgu'i godre
Oedd wedi gwlychu yn y tonne.

Mi rois fy mhen i lawr i wylo,
Fe ddaeth yr wylan ataf yno.
Mi rois lythyr dan ei haden
I fynd at f'annwyl siriol seren.

Hen bennill

When once I walked beside the sea,
I saw a gull of lily hue
On the beach that hugs the shore
That had been all soaked by waves.

I put my head in my hands to weep,
A seagull came over to me.
I put a letter under its wing
To go to my dear smiling star.

Old verse

P'NAWN HEULOG, PEN CEI, ABERSOCH : SUNNY AFTERNOON, ABERSOCH OUTER HARBOUR

Ar lan y môr mae carreg wastad,
Lle bûm yn siarad gair â'm cariad.
O amgylch hon fe dyf y lili
Ac ambell gangen o rosmari.

Hen bennill

Out on the shore there's an upright stone,
Where once I spoke to my chaste true love.
And around it grows the lily fair
And occasional sprigs of rosemary.

Old verse

PORTH NEFYN, PORTH DINLLAEN

Glas y môr tu draw i wyrdd
y clawdd a'i fyrdd o flodau;
cysgod cwmwl gwyn ar led
yn cerdded tua'r glanau.
'Cwmisdir', J. Glyn Davies

Blue of sea beyond the green
hedgebank lined with flowers;
a cloud's outspread pale shadow
is stalking beyond the shores.
'Cwmisdir', J. Glyn Davies

TONNAU GWYLLT Y MÔR

A STORMY SEA

UN O DONNAU GWYLLT PORTH CEIRIAD : A CLASSIC PORTH CEIRIAD WAVE

Tebyg iawn i'r môr yw'r merchad,
Weithiau'n mynd ac weithiau'n dŵad.
Pan fo'n dawel yn y dyfnddwr,
Ar y lan fe gyfyd cynnwr'.

Hen bennill

The sea is like a lovely girl,
Sometimes she comes and sometimes goes.
When it's peaceful in the depths,
Waves break the surface with such strength.

Old verse

Eryri yw Iwerydd;
yn donnau, cwyd ofnau'r dydd
yn gopa ar gopa gwyn
a braw sy'n berwi'r ewyn;
dinas o'n cwmpas yn cau,
waliau dŵr fel Glyderau.
          'Blwyddyn newydd', Myrddin ap Dafydd

The sea is Snowdonian;
in its waves, the fears of the day rise in waves
peaks on white peaks
and a dread that boils the surf;
closed in by high walls around,
water like the Glyderau.
          'New year', Myrddin ap Dafydd

**CEFFYLAU GWYNION,
PORTH CEIRIAD
ROLLING STORM WAVES,
PORTH CEIRIAD**

MÔR STORMUS, PORTH CEIRIAD : HIGH WAVES, PORTH CEIRIAD

Mi awn 'hyd lonydd meinion,
ar i lawr bob tro o'r lôn,
rhwng cloddiau pridd ac iddynt
gorunau gwair yn y gwynt,
i dir diflaniad y dydd
a gwyllt y môr a'r gelltydd.
    'Pen draw'r tir', Myrddin ap Dafydd

We'll go along narrow lanes,
along and down every turn,
between high earthen hedgebanks
crowned by grasses in the wind,
to the land where day disappears
and the sea and hills are wild.
    'The end of the land', Myrddin ap Dafydd

GWYNT TU ÔL Y TONNAU, PORTH CEIRIAD : STORM SWELL, PORTH CEIRIAD

Cofio'r tywyllwch yn ysgwyd y cwch
a'r cwmwl yn cau,
y creigiau'n crynu
a'r storm yn tynnu ar wallt y tonnau
a chofio'r llinyn
sy'n ein dal yn dynn wrth yr allt denau
lle'r awn drwy dywydd yn gefn i'n gilydd,
gan gadw'r golau.

       'Ynyswyr', Myrddin ap Dafydd

Remember the darkness shaking the boat
and clouds closing in,
and rocks cowering
and the storm pulling the hair of the waves
and recall the cord
that held us tight along the narrow road
through the weather behind one another,
to shield the light.

       'Islanders', Myrddin ap Dafydd

WEDI'R STORM, PORTH NEIGWL : AFTER THE STORM, HELL'S MOUTH

Haws yw malu'r graig yn llwch,
A'i rhoi oll mewn caead blwch,
Nag yw troi fy meddwl innau,
Anwylyd fwyn, oddi wrthyt tithau.

Hen bennill

EWYN CRWN, PORTH CEIRIAD : CLEAN SURF, PORTH CEIRIAD

Easier to grind rock to dust,
And put it all in a box,
Than to turn my contemplations,
Gentle beloved, away from you.

Old verse

WAL O HELI, PORTH CEIRIAD : A WALL OF SEA, PORTH CEIRIAD

Gwynt ar fôr a haul ar fynydd,
Cerrig llwydion yn lle coedydd,
A gwylanod yn lle dynion;
Och Dduw! pa fodd na thorrai 'nghalon?
     Hen bennill

Wind at sea and sun on the mount,
Grey rocks instead of woods,
And seagulls instead of people;
Oh God! why is there such a thing as heartbreak?
     Old verse

TONNAU GWYLLT, PORTH CEIRIAD : WILD WAVES, PORTH CEIRIAD

GWAWR A MACHLUD

SUNSETS AND SUNRISES

MACHLUD GWÉR, TRWYN GOLEUDY ENLLI : MELTING SUN, BARDSEY LIGHTHOUSE

Llŷn
Heulwen ar hyd y glennydd - a haul hwyr
    a'i liw ar y mynydd;
    Felly Llŷn ar derfyn dydd, -
    Lle i enaid gael llonydd.
                J. Glyn Davies

Llŷn
Sunshine along the shoreline - the late sun
    lays its colour on the mountain;
    That is Llŷn at the day's end, -
    A place for the soul to rest.
                J. Glyn Davies

DISTYLL TAWEL, PORTH DINLLAEN : FLAT CALM, PORTH DINLLAEN

Pan ddaw yr awr imi wrando ar sŵn
y moroedd ar draethell Duw,
a'r niwl yn cerdded i mewn o'r môr
nes cuddio tir y byw;
ni ddymunwn yn wir
ond cael gadael y tir
am ryw nefoedd ar Fflat Huw Puw.
    'Teg oedd yr awel', J. Glyn Davies

When it comes to listening to the sound
of God's seas and beaches wide,
and the fog shambles in from the sea
hiding the land of the living;
I only wish
but to leave
for some kind of heaven on Huw Puw's boat.
    'Fair was the breeze', J. Glyn Davies

LLEUAD LAWN UWCH YR WYDDFA A HAFAN PWLLHELI : MOONLIGHT OVER SNOWDON AND HAFAN PWLLHELI

'Glywaist ti'r gwynt cwynfannus?
Beth ydyw poen y lli?
Fe ŵyr y lloer, efallai,
Ond ni wn i na thi.
                    'Y Môr Enaid', Cynan

Do you hear the moaning wind?
What is the deep sea's pain?
The moon knows, maybe,
But you or I don't know.
                    'The Sea Soul', Cynan

HWYRDDYDD, PORTH NEIGWL : DUSK, HELL'S MOUTH

Fel y rhed yr haul i'r hwyr,
Fel y treulia'r gannwyll gŵyr,
Fel y syrthia'r rhosyn gwyn,
Fel y diffydd tarth ar lyn.
                    Hen bennill

As the sun runs to the dusk,
As the candle's wax marks time,
As the white rose withers,
As the mist blindfolds the lake.
                    Old verse

TORIAD GWAWR DROS YR WYDDFA O ABERSOCH : SUNRISE OVER SNOWDON FROM ABERSOCH

Hardd yw gwên yr haul yn codi
Gyda choflaid o oleuni,
Hardd y nos yw gwenau'r lleuad,
Harddach ydyw grudd fy nghariad.
Hen bennill

Beautiful is dawn's shy smile
With its warm embrace of light,
The moon's bold smile becomes the night,
More heavenly yet my lover's cheek.
Old verse

Y LLOER YN CODI DROS DAWELWCH PORTH DINLLAEN : MOONRISE OVER A PEACEFUL PORTH DINLLAEN

Tripheth sydd yn anodd imi,
Cyfri'r sêr pan fo hi'n rhewi,
Rhoi fy llaw ar gŵr y lleuad,
A gwybod meddwl f'annwyl gariad.
Hen bennill

Three difficult things for me,
Counting the icy gleaming stars,
Reaching the man in the moon,
And knowing the thoughts of my own dear love.
Old verse

GWAWR Y GAEAF, TRAETH CASTELLMARCH : FIERY SUNRISE, ABERSOCH WARREN

Mae hiraeth yn y môr a'r mynydd maith,
Mae hiraeth mewn distawrwydd ac mewn cân,
Mewn murmur dyfroedd ar dragywydd daith,
Yn oriau'r machlud, ac yn fflamau'r tân.
'Mae hiraeth yn y môr', R. Williams Parry

There is longing in the sea and ancient land,
There is longing in silence and in song,
In the purr of water on its eternal flow,
In the hours of sunset, and in fire's flames.
'There is longing in the sea', R. Williams Parry

MACHLUD, DRAW AM ENLLI : SUNSET, WEST OF BARDSEY

Wrth gamu'n hir a chroesi pentiroedd
ofnwn i dir roi cwymp i'r dyfnderoedd,
ofnwn y sêr, ac ofnwn bellteroedd
yr hyn na welwn yn troi'n y niwloedd
ac oer yw'n hymysgaroedd - wrth aros
i wylio'r nos yn galw'r ynysoedd.
      'Pen draw'r tir', Myrddin ap Dafydd

While striding out and crossing the headlands
we fear the land will fall into the deep,
we fear the stars, and fear the distances
that are invisible behind the fog
and our guts are chilled - from waiting
      'The end of the land', Myrddin ap Dafydd

GWAWR AEAFOL, ABERSOCH : WINTER SUNRISE, ABERSOCH

Fe gwn yr haul, fe gwn y lleuad,
Fe gwn y môr yn donnau irad,
Fe gwn y gwynt yn uchel ddigon;
Ni chwn yr hiraeth byth o'm calon.
Hen bennill

The sun rises, the moon rises,
The sea rises in terrible waves,
The wind rises, strong enough;
But longing never rises from my heart.
Old verse

LLWYDWYLL, PORTH DINLLAEN : TWIGHLIGHT, PORTH DINLLAEN

Garn Fadryn yn ei chwrcwd
A hesg y morfa'n siffrwd
A'r môr yn hwian ganu'n hir
Dan Fynydd Tir-y-cwmwd;
Nos da, 'mach i.

Mae'r niwl ar Benrhyn Melyn
Yn twchu fesul tipyn
A'r cranc yn swatio'n Nhwll Llaw Chwith
A'r gwlith yn dechrau disgyn;
Nos da, 'mach i.
   'Hwiangerdd Lleucu', Myrddin ap Dafydd

Garn Fadryn watches over you
And saltings' sedge flutter
And the sea lullabies night-long
Under Tir-y-cwmwd mountain;
Good night, my dear.

There's fog on Penrhyn Melyn
It's gradually thickening
The crab cowers in the 'left hand hole'
And dew starts to halo all;
Good night, my little one.
   'Lleucu's Lullaby', Myrddin ap Dafydd

Mor drist yw cri'r gwylanod
Trwy niwl yr hwyrnos oer,
Pan hed ysbrydion heibio
Yng ngolau gwan y lloer.
'Miraglau'r Môr', Cynan

So sad the seagulls' cries
Through the fog of cold midnight,
When spirits drift
In whey moonlight.
'Sea Mystery', Cynan

GWAWR YN AWST, ABERSOCH
AUGUST SUNRISE, ABERSOCH

GWAWR AR DRAETH CASTELLMARCH : SUNRISE ON WARREN BEACH

Ac wedi i'r haul hen olchi ei draed
Fe ddaw gwehyddwyr y nos yn ôl
I gerdded y tywyllwch
Tros redyn, a chreigiau a chof a sgerbydau,
I baratoi tân oer yfory
Yng ngwres meini Bytilith.

'Bytilith' (ar Fynydd Penarfynydd, yn edrych dros Borth
Neigwl), Huw Erith

And well after the sun has washed its feet
The weavers of the night will return
To walk concealed by darkness
Over fern, and rock and memory and bone,
To prepare tomorrow's cold fire
In the warmth of Bytilith stones.

'Bytilith' (on Mynydd Penarfynydd, overlooking
the bay), Huw Erith

ABERDARON

ENLLI (BARDSEY)

EGLWYS HYWYN SANT A PHENTREF ABERDARON : ABERDARON CHURCH AND VILLAGE

Haul yn twnnu ar Ynys Enlli,
Minnau sydd ymhell oddi wrthi.
Pe bae gennyf gwch neu lestar,
Fe awn iddi'n ewyllysgar.

    Hen bennill

Sun is shining on Bardsey Island,
And I am long gone away.
If I had a boat or any old tub,
I'd willingly ride there today.

    Old verse

YNYSOEDD GWYLAN, ABERDARON : ABERDARON AND IT'S ISLANDS

Yma'n symud
o ben draw'r byd
mae cerdd o Fôr Iwerddon:
taro o hyd mae mydr hon
yn ysgafn ar Borth Ysgo - daw drwy'r Swnt,
     drwy safn Ogof Morlo,
   daw â'i chwedl, twtsiad â cho',
   lledu dros Gastell Odo,
'hyd afon Daron y daw,
dy hawlio gyda'i halaw
un nos desog
yn Nhir na-nOg.
       'Y daith i'r neithior', Myrddin ap Dafydd

Here moving landwards
from the world's end
a song from the Irish Sea:
this metre is always beating
lightly on Porth Ysgo - through the Sound,
     through Ogof Morlo's jaws,
   comes bearing legend, touching memory,
   wide across Castell Odo,
down the Daron river,
captures with its voice
one sultry night
in Tir na-nOg.
       'The journey to the marriage feast', Myrddin ap Dafydd

STORM ENBYD DROS ENLLI : BARDSEY DURING A SEVERE STORM

Adar Drycin Manaw

Wedi i'r haul waedu'r heli - a nos
   Yn ynysu Enlli
    Llef eneidiau coll y lli
    Fydd ar lonydd goleuni.
               Huw Erith

Manx Shearwaters

After the sunset stains the sea - and night
   Maroons Bardsey Island
    The cry of wandering sea spirits
    Will be on their tracks of light.
               Huw Erith

BAE ABERDARON : ABERDARON BAY

Pan fwyf yn hen a pharchus,
A'm gwaed yn llifo'n oer,
A'm calon heb gyflymu
Wrth wylied codi'r lloer;
Bydd gobaith im bryd hynny
Mewn bwthyn sydd â'i ddôr
At greigiau Aberdaron,
A thonnau gwyllt y môr.
                    'Aberdaron', Cynan

When I am respectably old,
And my blood runs slow and cold,
And my heart no longer leaps
On seeing the moon rise;
There's hope for me by then
In a cottage facing out
Towards Aberdaron rocks,
And the sea's wild breakers.
                    'Aberdaron', Cynan

GOLEUDY ENLLI YN Y MACHLUD : BARDSEY LIGHTHOUSE IN THE SUNSET

Enlli

Yn y môr, mae angor i mi – drwy swae
   Dŵr y Swnt, caf Enlli;
  Gall cwch tua'i heddwch hi
  Wneud i ewyn ddistewi.
            Myrddin ap Dafydd

Bardsey

In the sea, there's an anchor for me – through the dazzling
   Swell of the Sound, I find Bardsey;
  A boat can turn towards its calm
  Where the foam is stilled.
            Myrddin ap Dafydd

HAUL Y GAEAF YN Y SWNT : BARDSEY WINTER SUN

Er cof am Elwyn
(pysgotwr a chychwr Enlli)

O anterth y rhyferthwy - yn y Swnt,
   Trwy y swel, tros drothwy
  I hafan, y man lle mwy
  Oeda, yng ngheg Porth Meudwy.
              Huw Erith

In memory of Elwyn
(Bardsey fisherman and boatman)

From the peak of cataclysm - in the Sound,
   Through swell, over threshold
  To safe haven, the place to
  Linger, in Porth Meudwy's mouth.
              Huw Erith

ABERSOCH

HEN GYCHOD AR DRAI YN YR HARBWR, ABERSOCH : OLD BOATS REST IN ABERSOCH INNER HARBOUR

HAUL AUR OLA'R DYDD YN YR HARBWR, ABERSOCH : GOLDEN EVENING LIGHT, ABERSOCH INNER HARBOUR

Ar Lôn Pont Morgan mae'r trai heddiw'n wan
a'r troi'n wahanol,
heb un lliain traeth hawlio tiriogaeth yn y gwynt ar ôl.
Yn nhal yr afon mae rhywun yn sôn fod y tarth yn siôl
am y glannau hyn
a bod curiad gwyn
yn nwfn ei ganol.

'Ei, mae 'na un ohonyn nhw yn dal yn fyw', Myrddin ap Dafydd

On Pont Morgan Lane the ebb is weak today
and the turn is odd,
and afterwards not one towel colonises the windy beach.
In the depth of the river someone said that mist is a shawl
for the banks' shoulders
and that a white pulse
is deep in its midst.

'Hey, there's one of them still alive', Myrddin ap Dafydd

**PEN LLEW YN Y GRAIG,
DAN Y CLWB HWYLIO, ABERSOCH
LIKE A LION'S HEAD,
THE ROCKS UNDER
THE YACHT CLUB, ABERSOCH**

SGEINTIAD O EIRA AR DYWOD Y BORTH FAWR, ABERSOCH : A BRIEF COVERING OF SNOW, ABERSOCH

Ffarwel i Ynys Enlli,
Ffarwel St Tudwal's Road,
Ffarwel i dre Pwllheli
Lle mae'r genod tlysa'n bod.
                    Hen gân fôr

Farewell to Bardsey Island,
Farewell St Tudwal's Road,
Farewell to old Pwllheli
Where the prettiest girls are found.
                    Old sea shanty

PORTHAU A THRAETHAU LLŶN

HAVENS AND COVES

TRAETH PENLLECH GYDA PHORTH COLMON YN Y PELLTER : TRAETH PENLLECH WITH PORTH COLMON IN THE DISTANCE

Trwm yw'r plwm, a thrwm yw'r cerrig,
Trom yw calon pob dyn unig;
Trymaf peth tan haul a lleuad
Canu'n iach lle byddo cariad.
Hen bennill

Heavy the lead, and heavy the rocks,
Heavy the heart of each lonely man;
Heavier still under sun and moon
Singing heartily where once was love.
Old verse

PORTH NEIGWL A PHEN CILAN : HELL'S MOUTH AND VALLEY

Porth Neigwl

Mae'r clai trwm yn troi'n gwmwl yn y môr
   mynd wnaiff y cwbwl
   o dir y pentir, pob pwl
   yn ei wagio i Borth Neigwl.
           Myrddin ap Dafydd

Porth Neigwl

The heavy clay turns to cloud in the sea
   the whole lot will go
   from land at the headland, every spasm
   disgorges it into Hell's Mouth.
           Myrddin ap Dafydd

MÔR GWYN Y GAEAF, PORTH NEIGWL : WINTER SURF, HELL'S MOUTH

'mae ôl storm, ôl haels y dŵr
yn iaith y traeth ers neithiwr'
'Y boen', Myrddin ap Dafydd

'the storm's print, the water's peppering
has signed on the beach since last night.'
'The grief", Myrddin ap Dafydd

CREIGIAU BREISION AR DRAETH PORTH CEIRIAD : INTERESTING OLD ROCKS, PORTH CEIRIAD

HAUL YR HWYR AR BORTH DINLLAEN : LAST RAYS OF SUN ON PORTH DINLLAEN

Bae Porth Dinllaen

Daw gallt o flodau gwylltion - yn gesail
   a hi'n gesyg gwynion,
  braich o dir rhag broch y don
  wna'n dawel ofnau duon.
          Myrddin ap Dafydd

Porth Dinllaen

Wild flowers flash into view - a curved armpit
   and the sea's white horses,
  an arm of land protects from the water's tumult
  and stills black fears.
          Myrddin ap Dafydd

HAUL CANOL HAF, PORTH DINLLAEN : HOT SUMMER'S DAY, PORTH DINLLAEN

Maent yn dwedyd bod yr wylan
Ar y traeth yn cadw tafarn,
Ac yn gwerthu'n rhad y ddiod, -
Dyna un o'r saith rhyfeddod.

              Hen bennill

Word has it that the seagull
On the beach keeps a pub,
And sells the drink quite cheaply, -
One of the seven wonders.

              Old verse

TŶ COCH, PORTH DINLLAEN

A thrymgwsg tawel ar y tai
a'r llongau danyn',
a churiad ysgafn ton ar drai,
ochenaid wedyn.

'Portinllaen', J. Glyn Davies

In bottomless sleep the houses lie
reflecting the ships below,
moving lightly on the ebbing waves,
a sigh followed by a sigh.

'Portinllaen', J. Glyn Davies

TROTHWY'R HAF, PORTH DINLLAEN : THE START OF SUMMER, PORTH DINLLAEN

Hwylio i'r môr o Bortinllaen,
a'r bowspryd cadarn o fy mlaen,
a gwylio'r jib a'r staysail llawn,
a'r mainsail mawr yn tynnu'n iawn.
Llyw ataf, llong yn mynd ar ras
a rhwygo dros y moryn glas,
yn claddu ei thrwyn mewn mynwes ton,
a lluchio moryn dros fy mron.

'Cerdd y Llongwr', J. Glyn Davies

Sailing to sea from Portinllaen,
with a bowsprit strong before me,
and watching full jib and staysail,
and the big mainsail pulling right.
Helm towards me, the ship goes racing
and tearing across blue billows,
plunging her bow into watery bosom,
and hurling spray over my breast.

'The Sailor's Song', J. Glyn Davies

PORTH NEFYN

Nefyn

Prynwch benwaig Nefyn!
Ni bu eu bath am dorri newyn
Cefna fel ffarmwrs
Bolia tafarnwrs
Prynwch benwaig Nefyn
Newydd ddod o'r môr.

Cân gwerthwyr penwaig

Nefyn

Buy our Nefyn herrings!
The very thing to satisfy your hunger
Backs like farmers'
Boozers' bellies
Buy our Nefyn herrings
Fresh from the sea.

Nefyn herring selling song

MÔR TIR, ABERSOCH : THE FLAT CALM OF SUMMER, ABERSOCH

Traeth anial lle bu alaw,
Lle nad oes dim llanw - daw
Y distyll hir a distaw.
                    Huw Erith

A desolate beach where once was a melody,
Where there's no tide - come the
Acres of quiet sandflats.
                    Huw Erith

MACHLUD GAEAFOL, PORTH YSGO : WINTER SUNSET, PORTH YSGO

PORTH IAGO

PORTHOER : WHISTLING SANDS

MACHLUD YN Y GAEAF, PORTHOER : WINTER SUNSET, WHISTLING SANDS

NOS O WANWYN, PORTH CEIRIAD : SPRING EVENING, PORTH CEIRIAD

CYTIAU GLAN MÔR, LLANBEDROG : COLOURFUL BEACH HUTS, LLANBEDROG

GOLAU EURAIDD HWYR O AEAF YM MHEN CEI, ABERSOCH : GOLDEN WINTER LIGHT JUST BEFORE DUSK, ABERSOCH

HWYRDDYDD O WANWYN, LLANBEDROG : SPRING EVENING, LLANBEDROG

PWLLHELI

Merch o lun 'r wyf yn ei charu,
Merch o lun 'r wyf yn ei hoffi,
Nid o Lŷn gerllaw Pwllheli,
Ond o'r lliw a'r llun sydd arni.

Hen bennill

The picture girl I do love her,
A girl from a picture I do love,
Not from Llŷn beside Pwllheli,
But the colour and picture of her.

Old verse

UN DON ARALL : ONE MORE SURF

ERYRI A THREF PWLLHELI O GARREG Y DEFAID : SNOWDON AND PWLLHELI FROM CARREG Y DEFAID

A byth er hynny mae Largo bob dydd
Yn eistedd fan yma, â'i olwg yn brudd,
Yn eistedd fan yma â'i ben rhwng ei ddwylo,
Yn syllu i'r dŵr ac yn gwneud sŵn wylo,
Yn syllu a syllu i waelod y môr,
A'i gap-pig-gloyw 'back-to-fore',
Yn syllu i waelod y dyfroedd hallt
Ac yn disgwyl gweld morwyn ariannaid ei gwallt,
Ei gruddiau cyn goched â'r cwrel ei hun,
A'i llygaid cyn ddued ag eirin Llŷn.
            'Baled Largo o Dre Pwllheli', Cynan

And evermore since then our Largo
Sits in this place, with his glum expression,
Sits in this place with his head in his hands,
Staring into the water and making sad moan,
Staring and staring into the depths of the sea,
With his shiny-peaked cap crammed on 'back to fore',
Staring at the bed of the salty sea
Expecting a maiden with shining hair,
Her cheeks as red as the coral itself,
And her eyes as dusky as a Llŷn plum.
            'The Ballad of Largo from Pwllheli Town', Cynan

LLANW UCHEL Y GAEAF, HAFAN PWLLHELI : BIG WINTER HIGH TIDE, HAFAN PWLLHELI

YR WYDDFA O ABERSOCH : SNOWDON FROM ABERSOCH

**GWAWR Y GAEAF,
PWLLHELI
PWLLHELI WINTER SUNRISE**

REGATA PWLLHELI : PWLLHELI REGATTA

BYWYD MÔR

MARINE LIFE

CRËYR YN CHWILIO AM EI FRECWAST YN AFON SOCH
A HERON HUNTS FOR BREAKFAST IN AFON SOCH

MORLO BUSNESLYD : CURIOUS ATLANTIC GREY SEAL

Mae'r brocmon bora ddaw i Garreg Llam	The morning beachcomber came to Carreg Llam
Yn cofio'r corff mewn gwymon; glan y bedd	Recalling a body in seaweed; by the grave
Yn glogwyn galar o ysgwyddau cam	A grieving cliff face of bent shoulders
A'r dŵr, ar gerrig porth, mewn perffaith hedd.	And water, on the harbour slabs, in stillness.
Mae'n gwylio'r gorwel gwan, hel llwyth i'w gôl	Seeing the hazy horizon, he gathers his load
A morlo llwyd y lli'n llygadu'n ôl.	And a grey seal glances back.
'Ar draeth Carreg Llam', Myrddin ap Dafydd	'On Carreg Llam beach', Myrddin ap Dafydd

DOLFFINIAID TRWYNBWL, BAE CEREDIGION : BOTTLE NOSE DOLPHINS, CARDIGAN BAY

DOLFFIN TRWYNBWL YN SIOE I GYD GER YNYS FAWR, YNYSOEDD TUDWAL
BOTTLE NOSE DOLPHIN PERFORMS FOR THE CAMERA OFF ST TUDWAL'S EAST

AG ASGWRN YN EI CHEG

SURF AND SAILS

BWRW GOLWG AR YR ANGORFEYDD : CHECKING THE MOORINGS

Mi wnaf long o dderw cariad,
A'i mast hi o bren y profiad;
A rhof hiraeth arni i nofio
O don i don i'r wlad a fynno.
Hen bennill

I'll make a ship of love's strong oak,
And a mast of experience's wood;
And on her I'll put my longing to float
From wave to wave back to my own land.
Old verse

TYNNU'R HWYL DRISGWAR A NEWID CYFEIRIAD : HAULING IN THE SPINNAKER AFTER ROUNDING THE MARK

Ni cheir gweled mwy o'n hôl
Nag ôl neidr ar y ddôl,
Neu ôl llong aeth dros y tonnau,
Neu ôl saeth mewn awyr denau.
                    Hen bennill

No more will I see my firelight shadow
Nor the snake's imprint in the meadow,
Nor the ship's wake across the waves,
Nor the arrow's trail in thin air.
                    Old verse

DWY GLIPER AR RAS O AMGYLCH Y BYD : CLIPPERS SET SAIL AROUND THE WORLD

Dacw long yn hwylio'n hwylus
Heibio i'r trwyn ac at yr ynys.
Os fy nghariad i sydd ynddi,
Hwyliau sidan glas sydd arni.

          Hen bennill

See the ship sailing blithely by
Beyond the point towards the isle.
If my love should be on board her,
Sails of blue silk will catch the zephyr.

          Old verse

CYCHOD HWYLIO BYCHAIN YN Y BAE : MIRRORS IN ABERSOCH

Sawl milltir sydd i hiraeth
a'r trai yn tynnu o'r traeth
a'r galar yng nghri gwylan?
A sawl gwaith mae si-lw-gân
y tonnau hallt yn tynhau'r
ffarwél yn rhaffau'r hwyliau?

'Mynd i'r môr', Myrddin ap Dafydd

How many miles to longing
and to the ebb tide's drag
and to the seagull's keening?
And how many times does the song
of the salt waves pluck a farewell
lament from the sail's taut ropes?

'Going to sea', Myrddin ap Dafydd

'MERLIN ROCKETS'

'SABLINE'

Mynd i'r môr a dechrau rhwyfo,
Gan dybio'n siŵr na fedrai nofio,
Ond cyn im fynd dros lyfnion donnau
Angau oedd y capten llongau.

Hen bennill

Going to sea and tossing around,
Believing I can't swim for sure,
But before I could reach calmer water
Death was the master of the vessel.

Old verse

'GRENADE' YN Y SWNT : 'GRENADE' IN THE SOUND

LASER AR WIB : LASER AT SPEED

LLOER AR Y LLI, PORTH DINLLAEN
PORTH DINLLAEN MOONLIGHT

GWIB OLA'R DYDD, PORTH NEIGWL : LAST RIDE OF THE DAY, HELL'S MOUTH

**TONNAU MAWR,
GOLAU MAWR
BIG SEA, BIG AIR**

CWCH ACHUB O ABERSOCH : RNLI ATLANTIC 75 FROM ABERSOCH

'Rwyf weithiau'n brudd ac weithiau'n llon
Yn rhwyfo'r byd o don i don;
Ac nid rhyfedd beth wrth rwyfo
Fod y breichiau weithiau'n blino.

Hen bennill

I'm sometimes sad and sometimes still
Rowing the world from wave to wave;
And it's no surprise since rowing so hard
That my arms are sometimes weary.

Old verse

BAE ABERSOCH YN YR HAF : ABERSOCH BAY IN THE SUMMER

Llŷn yw'r môr yn dweud stori
ar goedd dros ei chreigiau hi,
hen gwch a'i choed yn gwichian,
a beddau blêr llawer llan.
Nefoedd yw Llŷn derfyn dydd:
lle i heniaith gael llonydd.

Meirion MacIntyre Huws

Llŷn sea's have stories
writ large across their rocks,
old boats with creaking timbers,
and ugly, chaotic graves.
Llŷn is heaven at the end of days:
a resting place for the old words.

Meirion MacIntyre Huws

For more information, visit Turtle Photography's website:

www.turtlephotography.co.uk